Kazuki TAKAHASHI

高橋和希

PRÉSENTATION DES PERSONNAGES ET RÉSUMÉ DES ÉPISODES PRÉCÉDENTS

MUTÔ YÛGI

Mutô Yûgi s'est fait offrir un puzzle millénaire par son grand-père. Un puzzle qui lui donne des pouvoirs mystérieux et qui fait apparaître son double lorsqu'il ouvre la porte des ténèbres !

LES FORCES DES TÉNÈBRES ATTIRENT DE NOMBREUX ENNEMIS.

Yûgi a gagné toutes les parties de jeu dans lesquelles on l'avait provoqué. Jusqu'au jour où un certain Kaiba Seto, président d'une grande société de jeux, est venu le défier à Magic and Wizards. Mais par deux fois, au prix de grands efforts et de souffrances, Yûgi a réussi à battre le génial Kaiba. Ce dernier s'est juré de devenir le rival de Yûgi pour l'éternité. Ces victoires ont attiré l'attention de l'inventeur du jeu Magic and Wizards, l'Américain Pegasus. Il organisera un gigantesque tournoi sur son île. Un événement dont nos amis sortiront victorieux et renforcés. En gagnant ce tournoi, ils empocheront au passage une prime colossale. Un jour, un nouvel élève arrive dans la classe de Yûgi. Otogi Ryûji n'est autre que le fils d'un homme qui veut venger une vieille défaite infligée par le grand-père de Yûgi ! Yûgi se fera dérober son puzzle et devra tenter de le récupérer en jouant contre Ryûji à un nouveau jeu, le D.D.D !

HONDA HIROTO

MAZAKI ANZU

JÔNO-UCHI KATSUYA

MUTÔ SUGOROKU

OTOGI RYÛJI

KAIBA SETO

BAKURA RYÔ

PEGASUS

SHAHDI

Mais où sont les deux derniers objets ? Et que va-t-il se passer le jour où les sept objets rejoindront le cercle de la stèle royale...?

LES OBJETS MILLÉNAIRES INTERAGISSENT ENTRE EUX.

Le secret de l'objet millénaire a été révélé à Yûgi lors de sa rencontre avec Pegasus. Dans un sanctuaire souterrain en Égypte se trouve un cercle magique qui représente la mémoire du souverain, un cercle dans lequel viennent s'emboîter sept objets millénaires. Pegasus possédait l'œil millénaire, le camarade de classe de Yûgi, Bakura, détient l'anneau millénaire, Shahdi, l'Égyptien disciple d'Anubis, est en possession de la balance ainsi que d'un cadenas et enfin Yûgi a le puzzle.

YU-GI-OH !

Volume 17

Sommaire

YÛGI A DISPARU EN ENTRANT DANS CE MAGASIN !

ON VA Y JETER UN COUP D'ŒIL !!

BLACK CROWN OUVERT !!

BLAM

!!

HONDA, TU DISAIS QUE TU AS VU BAKURA ENTRER DANS LE MAGASIN ?

Y A VRAIMENT PERSONNE ICI...!

JE LE SENS TRÈS MAL...

IL EST UN PEU TÔT POUR FERMER LA BOUTIQUE, NON ?

UHMM... Y A PERSONNE...?

Battle 143 UNE ATTAQUE AU NIVEAU ZÉRO !!

IL FAUT QU'ON RETROUVE YÛGI !!

YÛGI~

QU'EST-CE QUI SE PASSE ICI ?!

MAIS~

COMMENT ?!

REGARDEZ !! IL Y A QUELQU'UN LÀ-BAS !

Battle 143
UNE ATTAQUE AU NIVEAU ZÉRO !!

JE SUIS VENU ICI POUR CONSTATER DE MES PROPRES YEUX.

ET C'EST DE TOI QU'IL S'AGIT...

IL N'Y A QU'UNE SEULE PERSONNE EN CE MONDE QUI PUISSE RÉSOUDRE L'ÉNIGME DU PUZZLE !

L'ÉLU SERA L'ÊTRE QUI POURRA INVOQUER LA MÉMOIRE DU SOUVERAIN.

YÛGI, ÉCOUTE-MOI BIEN...

UN ROI ? MAIS LEQUEL ?

BAKURA...

ESPÈCE D'ORDURE !

CRÈVE !!!

INUTILE D'ESSAYER DE LE DISTRAIRE ! CELUI QUI GAGNERA RÉCUPÉRERA LE PUZZLE !

KRUU KRUU... MON PETIT BAKURA...

SINON, C'EST MOI QUI ENGAGE !

ALORS ? TU AS TERMINÉ TON TOUR ?

YÛGI !!!

SI TU OBSERVES BIEN LE DÉROULEMENT DE CETTE PARTIE... IL EST CLAIR QUE CE SERA RYÛJI !

...!!

JE VAIS ME DONNER À FOND POUR TENIR CETTE PROMESSE !!!

UNE PARTIE POUR LAQUELLE JE NE PEUX COMPTER SUR PERSONNE !

ATTENDS-MOI... JE VAIS RECONSTRUIRE TON CŒUR QU'ON A SALIVA-GEMENT DÉMONTÉ...

MON AUTRE MOI...

JE TE LE PRO-METS

MÊME SI SON NIVEAU D'ATTAQUE EST NUL, IL DOIT BIEN POSSÉDER UN COUP PARTICULIER...

PAZOU, LE MAGICIEN BLINDÉ...

JE VAIS MISER SUR SON ÉVENTUEL COUP SPÉCIAL !

KYOP

KYOP

Battle 144
CE QUE DEVIENT LA VENGEANCE

KRUU KRUU... À L'INSTANT MÊME OÙ IL RÉUSSIRA À LE REMONTER...

ZRII

ZRUU

... JE METTRAI EN ŒUVRE L'ACTION QUI M'A FAIT VENIR ICI AUJOURD'HUI...

ZRUU

ZRII

ZRUU

ZRII

YÜGI... TU IGNORES TOUT DE LA VÉRITABLE FORCE QUI SOMMEILLE DANS CE PUZZLE...

JE CROIS QUE MÊME TON AUTRE TOI L'IGNORE...

L'ON DIT QUE CETTE MÉMOIRE S'ÉVEILLERA LORSQUE LES SIX AUTRES OBJETS MILLÉNAIRES SERONT RÉUNIS.

CE PUZZLE CONTIENT 3000 ANS D'HISTOIRE... TOUTE LA MÉMOIRE DU ROI EST DANS CE PUZZLE...

"...UN RÉCIT QUE VOICI..."

DANS LA SÉPULTURE SOUTERRAINE DU VILLAGE 'ELNA, UN BAS-RELIEF ÉVOQUE...

BIEN ENTENDU, MON ANNEAU MILLÉNAIRE EST L'UNE DES CLÉS QUI DÉLIVRERA CETTE MÉMOIRE...

LE JEUNE SOUVERAIN ET SES SIX APÔTRES SE SONT SACRIFIÉS POUR ENFERMER LA FORCE MALÉFIQUE DANS UNE PORTE DIVINE.

NOUS CONTINUIONS À PRIER... POUR QUE LA FORCE MALÉFIQUE NE RESSUSCITE PAS AU RÉVEIL DE LA MÉMOIRE DU SOUVERAIN...

COMME SUR CE FRAGMENT DU PUZZLE, PAR EXEMPLE !!!

L'ANNEAU MILLÉNAIRE PEUT ENFERMER UNE PARTIE DE SON ÂME DANS UN OBJET...

SI L'ON ARRIVE À FAIRE RESSURGIR LA MÉMOIRE DU SOUVERAIN QUI SOMMEILLE DANS LE PUZZLE MILLÉNAIRE... L'ON POURRA S'EMPARER DE LA FORCE MALÉFIQUE...

GROO
GROO
GROO
GROO
GROO
GROO
GROO

IL NE RESTE PLUS QU'À ATTENDRE QUE YÛGI REMONTE LE PUZZLE...

ET VOILÀ, LE SORT EST JETÉ !!

Groo

Groo

PARASITE MIND (LE PARASITE DE L'ESPRIT)

Groo

UNE PARTIE DE MON ÂME VA JOUER LES ESPIONS... ET POURRA AINSI SE PROMENER DANS LES CHAMBRES DU LABYRINTHE DU PUZZLE. UN JOUR, ELLE FINIRA PAR RETROUVER LA PORTE DIVINE QUI RECÈLE LE SECRET DE LA MÉMOIRE DIVINE !!

Groo

BON, JE CROIS QUE JE N'AI PLUS RIEN À FAIRE ICI...

DOM

CE N'EST RIEN...

KRUU KRUU...

YÛGI... IL Y AVAIT UNE PIÈCE DE TON PUZZLE PAR TERRE !

OUPS, ATTENTION !!!

UNE PIÈCE MANQUANTE ET C'ÉTAIT FOUTU...

OH, MERCI BAKURA !

YÛGI...

EUH... OÙ SUIS-JE ?

UHMM...

LES AUTRES DOIVENT CERTAINEMENT S'INQUIÈTER...

ON DEVRAIT RENTRER

OTOGI !

JE N'AI AUCUN REGRET SUR CETTE PARTIE...!

J'AI PERDU, MAIS...

JE N'AI PAS RÉUSSI À HAÏR YÛGI...

JE N'AI PAS RÉUSSI À TE VENGER...

PAPA... PAR-DONNE-MOI...

VRAI-MENT PAS...

ZRUU

ZRUU

ZRUU

38

ズ ズ ズ ZRUU ZRUU ZRUU BUOF

C'EST UN JEU QUI VIENT DE L'ÉGYPTE ANTIQUE. C'EST UN JEU QUI S'EMPARE DE L'ÂME HUMAINE...

EST-CE QUE TU SAIS CE QUE SIGNIFIE CE PLATEAU DE JEU...?

J'AI PERDU 50 ANS SUR CETTE PARTIE...

C'EST EN JOUANT À ÇA QUE J'AI PERDU CONTRE SUGO-ROKU.

MAIS, CE QUI EST EFFRAYANT, C'EST QUE CHAQUE JOUEUR DOIT MISER DES ANNÉES DE SA VIE POUR PROGRESSER...

EN CLAIR, LE VAINCU PERDRA LES ANNÉES DE VIE QU'IL AURA MISÉES !

LA RÈGLE EST SIMPLE. DEUX JOUEURS PROGRESSENT DANS LE CERCLE EN LANÇANT DES DÉS...

47

Battle 145
LIÉ PAR UNE CHAÎNE

52

LIÉ PAR UNE CHAÎNE ...

ÇA VA, IL EST SAUF...

JÔNO-UCHI !

UORF !

UORF !

YÛGI EST...

RE-GAR-DEZ...

... IL NE VOULAIT PLUS LE LÂCHER...!

IL A REMONTÉ SON PUZZLE DANS LES FLAMMES ET...

Battle 146
LA PIERRE DE
LA MÉMOIRE

CE N'EST PAS UNE QUESTION DE CHANCE...!

COMMENT ÇA ?! ANZU, EXPLIQUE-TOI !

GRRR...

C'EST UNE QUESTION DE TECHNIQUE...

JE NE COMPRENDS PAS POURQUOI JE TIRE DES CARTES AUSSI NULLES !

GRRR...

YOUPiii ! J'AI ENCORE BATTU JÔNO-UCHi !

JÔNO-UCHi, TU ES MAUVAIS !

BDOOM

SA-PRIS-TI...

ALTIMETER VIENT DE SE FAIRE DESCENDRE ET JE ME RETROUVE À ZÉRO POINT !!

ZDOO

SI TU VEUX !!!

ZDOO ZDOO

YÛGi ! ALLEZ, ON REMET ÇA !

UHMM...

LE JEU PERMET À YÛGi D'OUBLIER SA DOULEUR !!!

ALLEZ... ANZU, LAISSE-LE FAIRE.

JÔNO-UCHi, N'INSISTE PAS !

YÛGi EST CONVA-LESCENT ! IL DOIT SE REPOSER !

MOI, ÇA PEUT ALLER !!!

YÛGi N'A PAS EU TROP DE MAL...

HEUREUSEMENT QUE ÇA SE TERMINE COMME ÇA...

JÔNO-UCHI... JE TE REMERCIE DE T'ÊTRE OCCUPÉ DE YÛGI...

IL EST VRAIMENT CORIACE...!

ET EN PLUS, IL S'EN SORT AVEC UNE SIMPLE ÉGRATIGNURE...

ZUM

J'AI ENCORE PERDU !

URRRH~

BLACK CROWN

JÔNO-UCHI EST LE GENRE DE MEC À S'ACCROCHER AU SOUVENIR D'UNE GLOIRE PASSÉE !

LA FERME, ESPÈCE D'AMATEUR !

YÛGI... LAISSE-LE RÊVER...

ÇA DEVIENT FACILE DE DEVINER CE QUE TU VAS FAIRE...

IL SERAIT PEUT-ÊTRE TEMPS DE LE RENOUVELER...

QUOI ? DEVINER ?!

Gong

CET ENSEMBLE M'A PERMIS DE GAGNER CONTRE DES MECS BALAISES !

JE PENSE L'UTILISER ENCORE UN MOMENT !

OUI...

JÔNO-UCHI, TES CARTES...? TU UTILISES LE MÊME JEU QUE SUR L'ÎLE DE PEGASUS ?

COMME S'IL S'ÉTAIT REMONTÉ TOUT SEUL...

ET CETTE FOIS, ÇA NE M'A PRIS QUE QUELQUES INSTANTS.

LA PREMIÈRE FOIS, IL M'A FALLU 8 ANS POUR LE MONTER...

SI LE PUZZLE AVAIT UNE CONSCIENCE, JE SUIS CERTAINE QU'IL AURAIT SOUHAITÉ TE VOIR !

LE PUZZLE A DÛ ENTENDRE QUE TU VOULAIS LE RENCONTRER...

ÇA VEUT DIRE QUE CETTE FOIS AUSSI, TON VŒU S'EST RÉALISÉ !

•••

!!

OUI...

PEUT-ÊTRE...

D'ACCORD !!!

ANZU, UN THÉ VERT POUR MOI !

YÛGI, POUR TOI CE SERA UN COCA ?

JE VAIS ACHETER DES BOISSONS !!!

EUH...

LE PUZZLE AURAIT UNE CONSCIENCE...

ET DIRE QUE C'EST MOI QUI DIS UNE CHOSE PAREILLE...

STAP

C'EST CE QUE J'ESPÈRE...

J'EN SUIS PERSUA-DÉE...

LE PUZZLE N'A FAIT QUE LE RÉVÉLER...

JE SUIS SÛRE QU'IL ÉTAIT DÉJÀ EN YÛGI DEPUIS LE DÉBUT.

L'AUTRE YÛGI...

EN FAIT, TU SERAIS ISSU DE LA VOLONTÉ DU PUZZLE...?

LES DEUX FACETTES DE YÛGI NE FONT QU'UNE SEULE ET MÊME PERSONNE...

C'EST COMME ÇA QUE JE PERCEVAIS LES CHOSES...

QUE DEVIEN-DRAS-TU...?

S'IL EXISTAIT RÉELLEMENT UN LIEU DANS LA LOINTAINE ÉGYPTE...? UN LIEU OÙ LE PUZZLE DOIT RETOURNER...

REGARDE L'ARTICLE DU JOURNAL...

CE N'EST RIEN DE TRÈS IMPOR-TANT, MAIS...

OUI...

EN JETANT TOI-MÊME UN SORT SUR TON PROPRE PIÈGE, TU RISQUES DE PERDRE TA CARTE !

JÔNO-UCHI, TA TACTIQUE, C'EST DE TENDRE UN PIÈGE POUR T'EMPARER DE LA CARTE DE TON ADVERSAIRE !

UHM ?

GROSSE FATIGUE !!

D'AC-CORD... JE VOIS...

VOILÀ...

CET ÉTRANGE PENDENTIF AVEC UN ŒIL AU MILIEU...

...CE QUI PEND À TON COU...?

?!?

HÉ PETIT !

Vlac!

MOI ?!

UN COUP PAR ICI UN COUP PAR LA

IL PARAÎT QUE C'EST UNE PERSONNE ENVOYÉE PAR LE GOUVERNEMENT ÉGYPTIEN...

C'EST UNE FEMME...

DANS UN MUSÉE, AU BEAU MILIEU DE LA NUIT...

L'É-GYP-TE ?!

MONSIEUR SETO... ET CETTE PERSONNE QUI VOUS A DONNÉ RENDEZ-VOUS...?

JE SUIS AU COURANT DE VOTRE BRILLANTE ACTIVITÉ DANS LE SECTEUR DES JEUX À HAUTE TECHNOLOGIE.

MON-SIEUR KAIBA, JE SUIS FLATTÉE DE VOUS RENCON-TRER...

BIEN-VE-NUE...

JE SUIS RESPONSABLE DE CETTE EXPOSITION POUR LE COMPTE DU GOUVERNEMENT ÉGYPTIEN.

JE M'APPEL-LE ISIS ISHTAR.

NOUS SUPERVISONS ÉGALEMENT DE NOMBREUSES FOUILLES ARCHÉOLOGIQUES DE PAR LE MONDE.

NOTRE ORGANISATION A ÉTÉ CRÉÉE EN 1858 POUR PRÉSERVER NOTRE TRÉSOR NATIONAL DE LA MALVEILLANCE DES PILLARDS.

VEUILLEZ ENTRER...

QUI EST CETTE FEMME...?

LE BAS-RELIEF QUE JE VAIS VOUS MONTRER RACONTE L'HISTOIRE DU 18e ROI D'ÉGYPTE. VOUS ALLEZ VOIR UNE PARTIE DU RÉCIT DE LA CÉRÉMONIE FUNÉRAIRE...

VEUILLEZ ME SUIVRE.

DANS CETTE PIÈCE...

J'ESPÈRE QUE, COMME DANS LE CAS DE PEGASUS, LA VUE DE CETTE SCÈNE VA VOUS INSPIRER DES CHOSES...

VOICI CE QUI EST À L'ORIGINE DE MAGIC AND WIZARDS...

MAIS...!! C'EST...!!

!!PLAP

TCHIC

DONG

ZRUU
ZRUU

LES MOTIFS SUR CE BAS-RELIEF...

DANS L'ÉGYPTE ANTIQUE, LES CATASTROPHES, LES JOIES, LES TERREURS SONT ATTRIBUÉES AUX CRÉATURES QUI SOMMEILLENT DANS LES ÂMES.

LE SOUVERAIN ET SES MAGICIENS MAINTENAIENT LA PAIX SOCIALE, EN ENFERMANT À L'AIDE DE SORTS LES MAUVAIS ESPRITS DANS CES BAS-RELIEFS.

ET DES PRÊTRES, QUI ONT TRAHI LE ROI, SE SONT AFFRONTÉS POUR MANIPULER LES MAGICIENS DANS LE SEUL BUT DE S'APPROPRIER LES POUVOIRS ENFERMÉS.

MAIS LES CRÉATURES ENFERMÉES DANS CES PIERRES ONT COMMENCÉ À POSSÉDER DES POUVOIRS.

CE SONT LES MÊMES QUE SUR LES CARTES !!

YÛGI!!!

CES PERSON-NAGES...

Battle 147 LA CARTE PERDUE

TOUTEFOIS...

JE NE SAIS PAS SI CE PERSONNAGE S'APPELLE YÛGI...

POURQUOI YÛGI SERAIT DESSINÉ SUR UNE FRESQUE ANTIQUE ?!

C'EST IMPOSSIBLE !!!

... EST EN TRAIN DE SE POURSUIVRE ACTUELLEMENT.

... JE SUIS PERSUADÉE QUE LA LUTTE QUI S'EST DÉROULÉE IL Y A TROIS MILLE ANS...

Battle 147
LA CARTE PERDUE

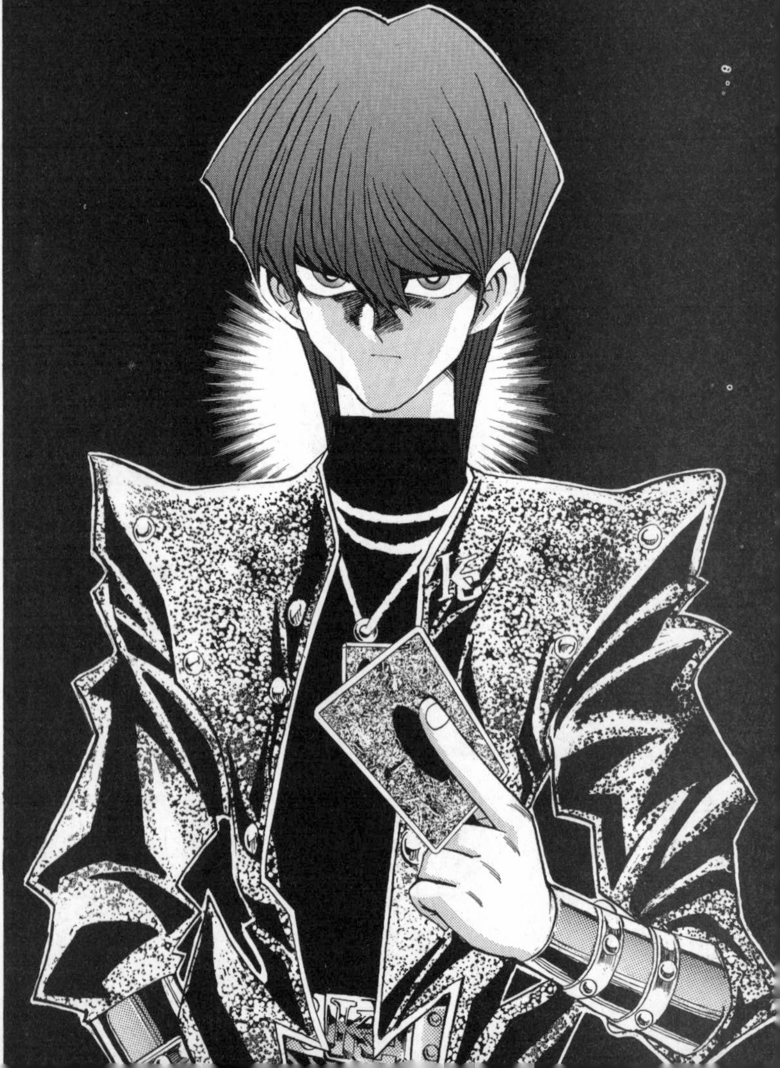

QUI IRA CROIRE QUE LES CARTES MAGIC AND WIZARDS EXISTAIENT IL Y A 3000 ANS ?!

C'EST RIDICULE !! COMPLÈTEMENT RIDICULE !!

C'EST TOTALEMENT ABSURDE !!

... LE DESTIN A PERMIS À PEGASUS D'INVENTER MAGIC AND WIZARDS.

À L'INSTAR DU CÉLÈBRE MAGICIEN OCCIDENTAL ALEISTER CROWLEY, QUI S'EST INSPIRÉ DU "LIVRE DES MORTS" POUR CRÉER SON JEU DE TAROTS...

ZRUU

ZRUU

ZRUU

ZRUU

PEGA-SUS ...!!

ET CONTINUENT À S'AFFRONTER AU-DELÀ DES MILLÉNAIRES...

... ET ENSUITE... IL EST POSSIBLE QUE LES DEUX PERSONNAGES DÉCRITS ICI SOIENT LIÉS PAR LE DESTIN...

CES TROIS MONSTRES ENTOURENT LE PUZZLE MILLÉNAIRE.

ZDOO
ZDOO
ZDOO

LES TROIS MOTIFS AU-DESSUS DES TÊTES DU ROI ET DU PRÊTRE !!

BANG

ZDOO ZDOO

TROIS MONSTRES DIVINS ?!!

LES TROIS MOTIFS...

!!

PEGASUS A LAISSÉ TROIS CARTES TRÈS RARES, INSPIRÉES DE CETTE SCÈNE.

ET LE DRAGON AILÉ DU DIEU SOLEIL RÂ !!

DOM

LE SOLDAT GÉANT DE L'OBÉLISQUE !!

LE DRAGON VOLANT OSIRIS !!

DOM

DONG

RÂ, LE CIEL ET LA TERRE.

OSIRIS, LE MAL...

L'OBÉLISQUE SYMBOLISE LA LUMIÈRE ET LES TÉNÈBRES.

CES TROIS ENTITÉS REPRÉSENTENT LES ÉLÉMENTS ESSENTIELS DE L'UNIVERS.

ET IL SE HISSERA AU SOMMET DE LA HIÉRARCHIE DES DUELLISTES.

– RÉCOLTERA LA LÉGENDE DE L'INVINCIBILITÉ.

IL PRENDRA LE TRÔNE DU ROI DES DUELLISTES.

ET CELUI QUI RÉUNIRA CES TROIS ENTITÉS (CARTES)...

98

.....!!

MON WHITE DRAGON EST ÉGALEMENT CONCERNÉ...

AVEC LEUR FLAIR, CES CHAROGNES VONT ÊTRE RAMEUTÉES PAR LA PRÉSENCE DES DUELLISTES...

KRUU KRUU

CE N'EST PAS TOUT...

TU VEUX QUE CETTE VILLE SERVE AU DÉROULEMENT DU DUEL MAGIC AND WIZARDS...

SI NOUS AVONS ORGANISÉ CETTE EXPOSITION, C'EST DANS LE SEUL BUT DE FAIRE RÉAGIR CE BAS-RELIEF QUI ENFERME LE SECRET DES CARTES.

NOUS SAVONS QUE CETTE PIERRE A LE POUVOIR D'ATTIRER LES DUELLISTES.

AH ! MAIS, C'EST ?!!

VOICI UNE CARTE...

HÔpital DOminO

JE FAIS JUSTE
UN TOUR À
L'ÉCOLE ET
JE RETROUVE
COMME PROMIS
LES POTES !

JE VAIS
POUVOIR
SORTIR
DANS LA
MATINÉE
!

CE GARÇON
PARLE
TOUT SEUL
DEPUIS
TOUT À
L'HEURE.

D'AVOIR
REMONTÉ
CE PUZZLE
EN METTANT
TA VIE EN
DANGER...

JE TE
REMERCIE
...

HEIN ?

108

REGARDE !

!

ELIX AUSSI, ILS ONT SÉCHÉ !

!

YUGI !!!

Battle 148
UNE CARTE DÉMONIAQUE

... MOI JE VISE LE FUTUR !!!

GROOOO

DANS CE CAS...

EST-CE QUE LE NIVEAU DE M. KAÏBA SERA SUFFISANT ?

MON FRÈRE VA ENFIN AFFRONTER L'ORDINATEUR !

K'tchac

VÉRIFICATION DES CARTES !

LE NIVEAU DE JEU EST RÉGLÉ AU NIVEAU MAXIMAL.

ON VA CHARGER LE JEU DANS LA MACHINE !!!

L'ON A CHARGÉ DANS LA MACHINE LE JEU DE CARTES LE PLUS PUISSANT JAMAIS UTILISÉ PAR M. KAÏBA !

MAIS... MONSIEUR MOKUBA...

CRÉTIN !! MON FRÈRE NE PEUT PAS PERDRE CONTRE UN ORDINATEUR !!

IL VEUT FAIRE L'ESSAI DANS LES CONDITIONS LES PLUS EXTRÊMES !

...

OUI.

C'EST UN ORDRE DE M. KAÏBA...

TU VEUX DIRE QUE LES TROIS BLUE EYES WHITE DRAGONS SONT DEDANS ?!

COMMENT ?!

GSHH

8888

J'AI PRIS LA CARTE QUE M'A DONNÉE ISIS, LE SOLDAT GÉANT DE L'OBÉLISQUE, DANS MON JEU !!

ALLEZ-Y !!

JE SUIS CURIEUX DE SAVOIR COMMENT ELLE VA SE COMPORTER FACE AUX TROIS WHITE DRAGONS...

CE DUEL ME SERT POUR LA DERNIÈRE MISE AU POINT DU SYSTÈME. MAIS ÇA ME PERMETTRA ÉGALEMENT DE METTRE À L'ÉPREUVE MA NOUVELLE CARTE !

MON FRÈRE !!!

L'ORDI-NATEUR EST ACTIVÉ EN MODE "AUTO DUEL" !

BLIP GROO

ON ACTIVE LA MACHI-NE !!

GROOOo

LE "GOLEM AUX BRAS D'ACIER" EN POSITION DE DÉFENSE !!

ZUM

GOLEM AUX BRAS D'ACIER

Attaque 1900
Défense 2200

ZDOO
ZDOO

À MOI DE JOUER !!!

GRRR... JE VOULAIS ENDORMIR LE DRAGON AVEC MA CARTE LUCIFER... IL A CONTRARIÉ MON PLAN...

OUPS

SON JEU N'EST PAS À LA HAUTEUR...

MON FRÈRE NE FAIT QUE SE PLACER EN POSITION DE DÉFENSE...

ELLE A CHOISI SA CARTE.

C'EST AU TOUR DE LA MACHINE !

120

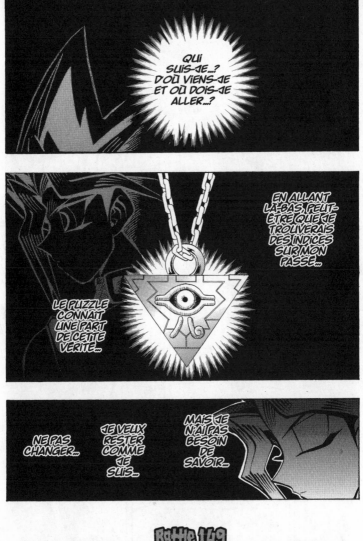

Battle 149
LE LIEU DE RASSEMBLEMENT

QU'EST-CE QU'ON VA FAIRE CET APRÈS-MIDI ?

REGARDE, J'AI ACHETÉ DES JOURNAUX !

UHMM... JE NE SAIS PAS QUOI FAIRE... IL NE DIT RIEN DEPUIS TOUT À L'HEURE...

Slurp

"SE PROMENER À DOMINO"...

... ET "VISITER DOMINO" !!!

NON, TU AS TORT...

CE N'EST PAS MOI QUI AI CHOISI...

"L'AUTRE" N'A PAS ENCORE TRÈS BON GOÛT...

MMH...

TU ASSURES AVEC TON PENDENTIF !

DIS-MOI, YÛGI !!!

... INQUIET POUR TOI.

YÛGI EST...

MÊME POUR AUJOURD'HUI...

IL N'EST PAS TELLEMENT DU GENRE À FAIRE DES CONFIDENCES...

JE CROYAIS QU'IL AVAIT UNE BONNE RAISON...

CE MATIN, IL A PASSÉ UN TEMPS DINGUE À ESSAYER ÇA DEVANT LE MIROIR...

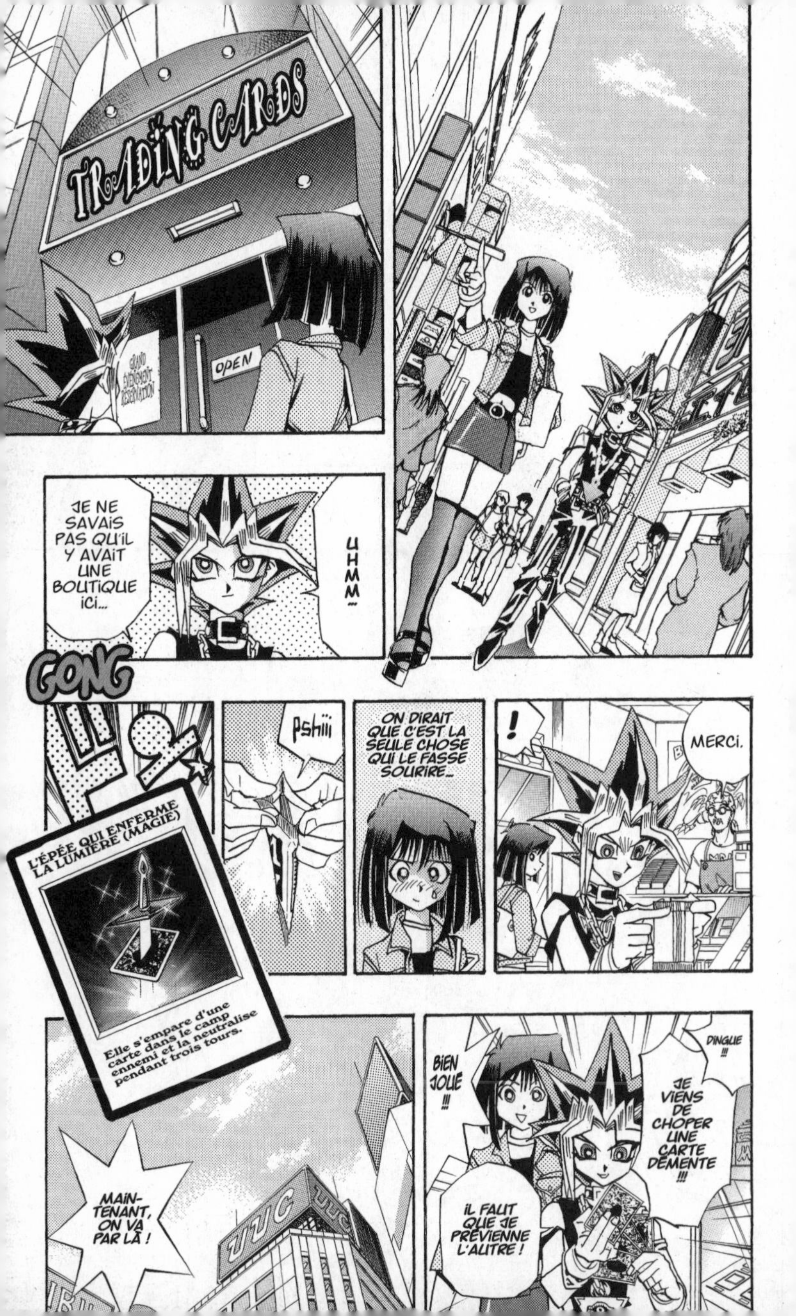

TRADING CARDS

OPEN

JE NE SAVAIS PAS QU'IL Y AVAIT UNE BOUTIQUE ICI...

UHMM~

GONG

Pshiii

ON DIRAIT QUE C'EST LA SEULE CHOSE QUI LE FASSE SOURIRE...

!

MERCI.

L'ÉPÉE QUI ENFERME LA LUMIÈRE (MAGIE)

Elle s'empare d'une carte dans le camp ennemi et la neutralise pendant trois tours.

MAINTENANT, ON VA PAR LÀ !

BIEN JOUÉ !!!

DINGUE !!

JE VIENS DE CHOPER UNE CARTE DÉMENTE !!!

IL FAUT QUE JE PRÉVIENNE L'AUTRE !

UUC

REPRENDRE CONFIANCE EN SOI...

...

UN SIMPLE JEU À 5 FRANCS M'A PERMIS DE TRANSPIRER ET DE REPRENDRE CONFIANCE EN MOI !

JE SUIS UNE FILLE SIMPLE !

JE ME SUIS BIEN AMUSÉE !!!

JE SAIS QUE MA VIE SE TROUVE DANS CE MINUSCULE PUZZLE !

ANZU...

....!

LA RAISON DE MON EXISTENCE...

D'OÙ JE VIENS, OÙ JE DOIS ALLER...

CE JOUR-LÀ... J'EN SAURAI PLUS SUR MOI-MÊME...

CE PUZZLE DOIT REPRENDRE SA PLACE LÀ-BAS...

TRÈS LOIN D'ICI, IL Y A UN ENDROIT OÙ DOIVENT SE RETROUVER LES SEPT OBJETS MILLÉNAIRES...

Battle 150
LE LIEU DE RASSEMBLEMENT

GROO GROOOO

POUR PERCER CE MYSTÈRE...

... IL NE RESTE QU'À FAIRE RESSURGIR MA PROPRE MÉMOIRE...!

ET CE RÉCIT CONSIGNÉ SUR CETTE PIERRE...

IL RAPPELLE TROP NOTRE COMBAT...

!

SNAP

J'AI ÉTÉ DÉSIGNÉE PAR MES ANCÊTRES POUR CONSERVER UNE PARTIE DE LA MÉMOIRE DU ROI...

MON NOM EST ISIS ISHTAR.

QUI ES-TU...?

BIENVENUE YÛGI... J'ATTENDAIS TA VISITE...

156

ANZU...

!

OUI...

L'HISTOIRE DE CE BAS-RELIEF...

... ET CE QUE M'A DIT ISIS, PEUX-TU GARDER ÇA POUR TOI...?

L'AUTRE IGNORE QUE JE SUIS VENU ICI...

YÛGI EST INTELLIGENT.

MAIS, UN JOUR, IL VA RÉALISER.

PEUT-ÊTRE...

JE NE PENSE PAS QU'IL SOIT PRÊT À L'ACCEPTER ...

MAIS ...

CETTE RECHERCHE DE MON PASSÉ... IL SAIT CE QUE ÇA SIGNIFIE POUR MOI.

OUI ...

DIS-MOI ? QU'EST-CE QUI T'AMÈNE ICI ?

CE QUE JE SUIS VENUE FAIRE ICI ?

HEIN ~

WAH HA HA !!!

PAF PAF !!!

CE N'EST PAS LA PEINE DE ROUGIR !!!

ZDOOO

MAIS NON !! C'EST PAS ÇA !

DIS-MOI, ANZU ...?

UNE PROME-NADE EN AMOU-REUX ?

!

MAIS YÛGI ? TU N'ES PAS ICI À CAUSE DE LA FAMEUSE NOUVELLE ?

JE PENSE QUE TU ES CAPABLE DE RESSENTIR CE QUI SE PASSE ICI...

YÛGI ~

TU ES VENU ICI SANS SAVOIR ?

NOUVELLE ...?

JE RESSENS DEPUIS TOUT À L'HEURE UNE CHOSE SPÉCIFIQUE AUX DUELLISTES.

OUAIS...

ZRUU ZRUU

TOUS CEUX QUI SE SONT RASSEMBLÉS ICI SONT DES DUELLISTES !

OUI...

C'EST BIEN ÇA...

UN GRAND TOUR-NOI...

LA DATE ET L'HEURE... AUJOUR-D'HUI !

IL Y A EU UNE INFORMATION DÉVOILÉE, IL Y A QUELQUES JOURS, DANS LA PRESSE SPÉCIALISÉE ET SUR INTERNET.

L'ON DOIT ANNONCER UN GRAND TOURNOI DE DUELLISTES !

"DE SE RETROUVER LÀ OÙ SOMMEILLE UNE CARTE INSCRITE SUR UNE PIERRE DU PASSÉ..."

BATTLE CITY...

Battle 151 — LES CHASSEURS DE RARETÉS !!

OUI... SEIGNEUR MARICK, LES DUELLISTES DE TOUT LE PAYS SE RASSEMBLENT DANS LA VILLE DE DOMINO.

UN TOURNOI ORGANISÉ PAR LA KAIBA CORPORATION DOIT SE TENIR DANS CETTE VILLE...

NOTRE PROCHAINE CIBLE EST LA VILLE DE DOMINO !

PRÉVIENS LES AUTRES GHOULS, MES CHASSEURS DE RARETÉS !

HÉ HÉ...

TOUS CES IDIOTS QUI SE RASSEMBLENT AU MÊME ENDROIT, L'OCCASION PARAÎT TROP BELLE.

INTÉRESSANT...

Battle 151
LES CHASSEURS DE RARETÉS !!

BATTLE CITY !!

QUEL AFFRONT !!!

CETTE ENFLURE DE KAIBA N'A MÊME PAS JUGÉ NÉCESSAIRE DE ME PRÉVENIR ! MOI QUI SUIS LE NUMÉRO 2 !!

OUI.

CERTAINS ONT L'AIR REDOUTABLES.

TU VEUX DIRE QUE, DÈS DEMAIN, TOUTE UNE HORDE DE DUELLISTES VONT S'AFFRONTER SAUVAGEMENT DANS CETTE VILLE ?!

J'AIMERAIS FAIRE UN COMBAT LOYAL CONTRE KAIBA... JE VAIS POUVOIR RÉALISER CE RÊVE GRÂCE À CE TOURNOI.

BIEN SÛR !!!

YÛGI, TU VAS Y PARTI- CIPER ?

ÇA VA DE SOI !!!

TOUT À FAIT !

T'AS VRAIMENT L'INTENTION D'Y PARTICIPER ?

JÔNO- UCHI, TU N'Y PENSES PAS...?

C'EST UN SYSTÈME OÙ LES JOUEURS DOIVENT PARIER DES CARTES...

IL FAUDRA PARIER...

ANTI ?

C'EST QUOI ?

DEMAIN, LE TOURNOI SE JOUERA SUR LA RÈGLE ANTI. IL NE FAUT SURTOUT PAS PERDRE !

SALOPERIE DE KAIBA... QU'EST-CE QU'IL MANIGANCE ?

C'EST MA MISSION DE DÉTRUIRE SES SALES PLANS...

CELUI QUI PERD SE FAIT PRENDRE SA CARTE.

GUIP

CETTE CARTE, C'EST TOUTE TA FORTUNE !!!

JÔNO-UCHI, T'ES SÛR DE TOI ?

RED EYES BLACK DRAGON

Attaque 2400
Défense 2000

ÇA VEUT DIRE QUE... SI JAMAIS JE PERDS, ADIEU MON RED EYES BLACK DRAGON... !

QUOI, DES CARTES RARES ?!

ET CETTE FOIS, ON EST OBLIGÉ DE JOUER DES CARTES RARES !

ARRÊTE DE TE FOUTRE DE MOI !

OUI, UN TRÉSOR...

MAIS !

ET C'EST QUOI ?

MAIS POUR Y PARTICIPER, IL FAUT UNE AUTRE CHOSE IMPORTANTE...

JE VAIS LE FAIRE !!!

ÉHÉ

MAIS EN GAGNANT, J'AI DES CHANCES D'EN RÉCUPÉRER DES BONNES !

IL SE PREND POUR QUI ?

174

ANZU, JE SUIS ÉTONNÉ QUE TU CONNAISSES CE MAGASIN !

SI C'EST À CÔTÉ, ÇA DOIT ÊTRE CETTE BOUTIQUE !

JE SUIS UN PEU LOIN, C'EST LA PREMIÈRE FOIS QUE JE VAIS DANS CETTE BOUTIQUE.

IL ME SEMBLE QUE C'EST PAR ICI...

AAAH BON !

J'Y SUIS ALLÉE HIER AVEC L'AUTRE YÛGI !

ÇA DOIT ÊTRE ÇA...

JE CONNAIS UNE BOUTIQUE QUI VEND DES CARTES, PLUS LOIN DANS LA RUE. VOUS PARLIEZ DE ÇA...?

... AVEZ DISCUTÉ ?

ET VOUS...

TANT MIEUX...

MON DOUBLE A L'AIR PLUS JOYEUX...

ANZU, MERCI POUR HIER.

ON A PARLÉ DE CE TOURNOI.

NON, PAS VRAIMENT...

... NI DE LA DISCUSSION AVEC ISIS...

PAS DE L'HISTOIRE SUR LE BAS-RELIEF...

SOBA

AH, OUI...

IL NE VEUT PAS RISQUER DE PERDRE LES CARTES QU'IL AIME !

DU MOINS, C'EST CE QU'IL DISAIT TOUJOURS...

MON DOUBLE A POUR PRINCIPE DE NE JAMAIS JOUER EN PARIANT DES CARTES.

IL AVAIT L'AIR QUAND MÊME CURIEUX.

HEIN...

IL TROUVE QUE LES 40 CARTES QUE L'ON SÉLECTIONNE DANS UN CHOIX DE PLUSIEURS MILLIERS...

... SONT TOUTES DES CARTES PRÉCIEUSES.

POUR LUI, UNE CARTE RARE N'EST PAS UNE CARTE CHÈRE...

POURTANT, EN PARTICIPANT À CE TOURNOI, ON NE FAIT QUE GAGNER DES CARTES RARES...

KARAOKE

C'EST POUR CETTE RAISON QU'IL NE SE SENT PAS CAPABLE DE PRENDRE LA CARTE D'UN AUTRE.

MAIS J'AI BESOIN DE VOS NOMS...

IL M'EN RESTE 5.

VOYONS... IL M'EN RESTE QUELQUES-UNS...

VOUS ALLEZ AUSSI PARTICIPER AU TOURNOI DEMAIN ?

EST-CE QUE VOUS VENDEZ LE DUEL DISK ?

TRADING

AUJOUR-D'HUI, J'AI EU PLEIN DE CLIENTS COMME VOUS...

POUR-QUOI ?

OUI.

!

VOILÀ !

MLL 1O...

KTCHAC

LEVEL

?!

MOI, C'EST JÔNO-UCHI !

MON NOM EST MUTÔ YÛGI...

ÇA CRAINT, SI JAMAIS JE SUIS SUR UNE LISTE NOIRE...

SUR L'ÉQUILI-BRE DU JEU.

C'EST UNE INITIATIVE DE LA KAIBA CORPORATION, ÇA NOUS PERMET DE NOUS TENIR AU COURANT SUR LES JOUEURS.

EN FAIT, JE PEUX CONSULTER TOUTE UNE BASE DE DONNÉES SUR LES DUELLISTES !!!

LES DERNIERS RÉSULTATS DES TOURNOIS

LES CARTES RARES EN SA POSSESSION

LE NIVEAU DU DUEL-LISTE

ST NO.007

武

LEVEL 8

SOMY

KAIBA Do

0.007 MUTÔ YÛGI

LEVEL 8

PAS DE PROBLÈME ! IMPRESSION-NANT !!

HEIN ?

LE NIVEAU 8...?!

YÛGI, TU ES AU PLUS HAUT NIVEAU, LE NIVEAU 8 !

VOUS PARLEZ DE QUOI...?

182

YU-GI-OH!

© DARGAUD BENELUX 2001
© DARGAUD BENELUX (DARGAUD-LOMBARD s.a.) 2002
7, avenue P-H Spaak - 1060 Bruxelles
3ème édition

© 1996 by Kazuki TAKAHASHI
All rights reserved
First published in Japan in 1996 by Shueisha Inc., Tokyo
French language translation rights in France arranged by Shueisha Inc.
Première édition Japon 1996

Tous droits de traduction, de reproduction et d'adaptation strictement réservés
pour la France, la Belgique, la Suisse, le Luxembourg et le Québec.

Dépôt légal d/2001/0086/368
ISBN 2-87129-335-X

Conception graphique : Les Travaux d'Hercule
Traduit et adapté en français par Sébastien Gesell
Adaptation graphique : Eric Montésinos

Imprimé en Italie par G. Canale & C. S.p.A. - Borgaro T.se (Torino)